El baño no fue siempre así

Federico Kukso e **Ileana Lotersztain**
Ilustraciones de **Javier Basile**

LAS COSAS NO FUERON SIEMPRE ASÍ

¿Qué es **ediciones iamiqué**?

ediciones iamiqué es una pequeña empresa argentina manejada por una física y una bióloga empecinadas en demostrar que la ciencia no muerde y que puede ser disfrutada por todo el mundo. Fue fundada en 2000 en un desván de la Ciudad de Buenos Aires, junto a la caja de herramientas y al ropero de la abuela. **ediciones iamiqué** no tiene gerentes ni telefonistas, no cuenta con departamento de marketing ni cotiza en bolsa. Sin embargo, tiene algo que debería valer mucho más que todo eso: unas ganas locas de hacer los libros de información más lindos, más divertidos y más creativos del mundo.

Texto: **Federico Kukso** e **Ileana Lotersztain**
Corrección: **Patricio Fontana** y **Laura A. Lass de Lamont**
Ilustraciones: **Javier Basile**
Edición: **Beatriz Frenkel** y **Carla Baredes**
Proyecto de diseño: **Lisa Brande** y **Javier Basile**
Diseño y diagramación: **Javier Basile**

Primera edición: marzo de 2007
Tirada: 5000 ejemplares
I.S.B.N.: 978-987-1217-09-0
Queda hecho el depósito que establece la ley 11.723
Impreso en Argentina. Printed in Argentina

Kukso, Federico
El baño no fue siempre así / Federico Kukso e Ileana Lotersztain; Ilustrado por Javier Basile - 1a ed. - Buenos Aires : Iamiqué, 2007.
40 p. ; 29,4x21 cm. (Las cosas no fueron siempre así)

ISBN 978-987-1217-09-0

1. Ciencias Sociales-Niños. I. Lotersztain, Ileana II. Basile, Javier, ilus., III. Título
CDD 500.54

¿A qué huele este libro?

Llegas a tu casa sucio de pies a cabeza después de haber disfrutado de un día al aire libre. Vas directo al baño pero, al entrar, no encuentras la ducha ni el jabón, el agua está helada y en el lugar del inodoro hay un banco agujereado.
¿Qué haces?

Exprimes un limón sobre tu cabeza y lo usas como champú.

Mezclas grasa animal con cenizas y te pasas eso por el cuerpo.

Utilizas el baño de tu vecino.

Te bañas en perfume para tapar el olor.

Aunque no lo creas, el baño y todas las cosas que encuentras en él no existen desde siempre ni lucieron siempre tal cual lucen hoy. El baño tampoco tuvo siempre la misma importancia ni fue siempre un lugar tan privado: hubo épocas en las que nadie se bañaba y otras en las que bañarse era un gran evento social; hubo momentos en los que la gente hacía sus necesidades en cualquier sitio y a la vista de todos, y otros en los que los inodoros se decoraban como si fueran obras de arte.

Date un rico baño con sales y espuma y prepárate para descubrir que

el baño no fue siempre así

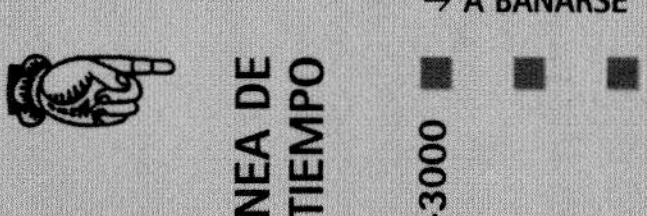

¡Todos a bañarse!

Las primeras "bañeras" que usaron las personas son casi tan antiguas como el planeta, ocupan mucho espacio y no necesitan grifos. ¿Las conoces? Se trata de los ríos, los lagos y los arroyos, que durante años y años han servido para cumplir con esta refrescante y saludable actividad. Incluso hoy, en muchos lugares, se los sigue usando con los mismos fines.

¿Y desde cuándo la gente se baña en sitios especiales? Sin lugar a dudas, los campeones del baño fueron los romanos, que hace más de dos mil años construyeron **enormes centros** que inspiraron a los actuales Spa (la palabra *"spa"* viene de *"Salus per Aquam"*, que significa "salud a través del agua"). Equipados con jardines, tiendas, bibliotecas, salas de conferencia y galerías de arte, estos enormes baños públicos podían albergar hasta 2500 personas. En sus grandes piletones revestidos de azulejos se podían tomar baños de agua fría o caliente, mientras se conversaba con los amigos. También se podía practicar algún deporte, leer o celebrar un banquete.

Sabías que...

Los romanos no fueron los únicos en darle importancia al baño. Los egipcios se bañaban con agua, aceites y ungüentos perfumados y los más adinerados tenían incluso esclavos que se ocupaban únicamente de bañar a sus señores. Además de ser una actividad higiénica y recreativa, entre los egipcios el baño era, también, una actividad con fines religiosos. Los sacerdotes, por ejemplo, debían tomar cuatro baños de agua fría al día... ¡y sin chistar! Los griegos también hicieron del baño una institución: acostumbraban ofrecer uno a los huéspedes y a los viajeros, y los soldados reponían fuerzas tomando baños de agua caliente.

Un baño a la romana

El bañista le daba su túnica al *capsarius*. **Después pasaba al** *frigidarium*, **donde se bañaba con agua fría. De ahí al** *tepidarium* **o baño de agua tibia. Luego lo esperaba el** *caldarium*, **una especie de sauna en el que transpiraba copiosamente. Más tarde, los** *strigile* **le secaban el sudor y lo depilaban. A continuación, los** *tractatores* **le daban un buen masaje y daban paso a los** *unctores*, **que lo untaban con aceite perfumado. Finalmente, el bañista se cubría con su túnica previamente calentada y se frotaba la frente con un pañuelo de lino para quitarse los restos de aceite.**

Y, para terminar, se podía optar por un **masaje** o pasar por la zona de **peluquería** para rizarse el cabello y arreglarse las manos.

Al principio, estos **balnearios** eran para varones o mujeres por separado, pero luego se pusieron de moda los baños mixtos. Y aunque las familias importantes tenían baño en sus casas, la vida social y política de la antigua Roma pasaba por los balnearios... Con semejante despliegue, ¿quién querría perdérselos?

Ubícate

El Imperio Romano abarcaba casi toda Europa, el norte de África y parte de Asia.

¡Todos a no bañarse!

Con la caída del Imperio Romano alrededor del año 500, las cosas cambiaron muchísimo. Por un lado, la gente comenzó a despreciar la forma de vida de la antigua Roma y desaparecieron casi totalmente los lujos y las grandes celebraciones. Por otro lado, las personas se volvieron **pudorosas** y dejaron de mostrarse desnudas en público. Los baños romanos quedaron sepultados junto con las ruinas del Imperio y a nadie le interesó reconstruirlos.

A partir de ese momento, el baño y la higiene, que habían sido símbolos de ostentación y de placer, fueron dejándose de lado hasta caer en el olvido en casi todo el territorio del imperio (excepto en Turquía, en Alemania y en parte de España, donde la costumbre de bañarse nunca se perdió). **Casi nadie tenía baño en la casa** y cuando a alguien "le tocaba" bañarse, iba con toda su familia a ciertos lugares especiales ubicados en la ciudad. En esos baños públicos había dos sectores bien diferenciados: el "primer baño", reservado a la gente rica, con agua limpia y jabonosa; y el "segundo baño", con agua un poco sucia y ya usada, para todos los demás.

Las cosas siguieron más o menos así durante varios cientos de años. Para ensuciar más el panorama, aparecieron **enfermedades** que se propagaban a diestra y siniestra sin que nadie pudiera explicar cómo. Los médicos le echaron la culpa al agua, sobre todo a la caliente: según ellos, debilitaba los órganos y, si penetraba a través de los poros, podía transmitir todo tipo de males. Incluso empezó a difundirse la idea de que una **capa de suciedad** protegía de las enfermedades.

Durante el siglo XVIII, las personas se bañaban al ser bautizadas y pocas veces o **nunca más** volvían a hacerlo. Se "lavaban" sólo las partes visibles del cuerpo –la cara y las manos–, *en seco* y con una toalla limpia. Los ricos se rociaban con perfumes, y los pobres olían espantosamente. Pese a tanta mugre, la ropa estaba cada vez más blanca. Los ricos se "lavaban" cambiándose con frecuencia de camisa, que supuestamente era la que absorbía la suciedad del cuerpo.

Eso sí: incluso quienes se cambiaban mucho de camisa sólo mudaban su ropa interior –si es que la llevaban– una vez al mes.

Así siguieron las cosas, **sucias y olorosas**, hasta el siglo XIX, cuando el aseo personal empezó, poco a poco, a ganar protagonismo nuevamente.

Sabías que...

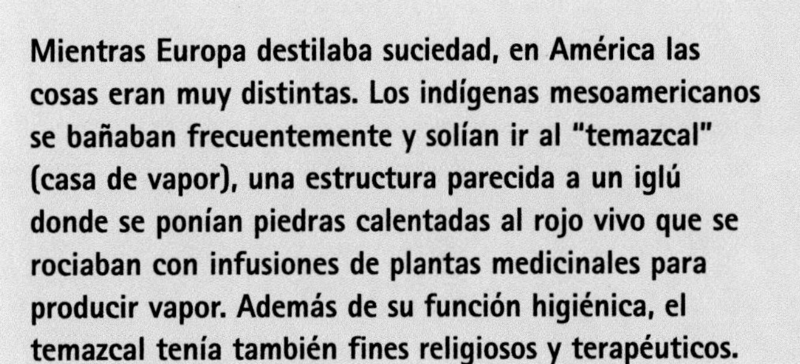

Mientras Europa destilaba suciedad, en América las cosas eran muy distintas. Los indígenas mesoamericanos se bañaban frecuentemente y solían ir al "temazcal" (casa de vapor), una estructura parecida a un iglú donde se ponían piedras calentadas al rojo vivo que se rociaban con infusiones de plantas medicinales para producir vapor. Además de su función higiénica, el temazcal tenía también fines religiosos y terapéuticos.

Ubícate

Si bien es falso que el agua sea mala para la salud, los baños eran, en cierto modo, peligrosos. En esa época no había calefacción, el agua estaba generalmente fría y había muchas enfermedades que se transmitían a través de ella. Además, pescarse un resfriado tras haberse bañado podía traer consecuencias terribles. En ese entonces, muchas enfermedades podían ser mortales, porque no existían curas eficaces.

Bañeras para todos los gustos

La primera bañera que se conoce tiene más de 4000 años, es de **arcilla** y está pintada en diversos tonos de rojo. Se encontró en el palacio del rey Minos, en Cnossos, en la isla de Creta.

Como es de imaginar, las bañeras que se usaron durante el Imperio Romano fueron muy variadas: de **ónix**, de **mármol**, de **piedra** y hasta de **bronce** o de **plata**. Y nada interesante hay para contar de la época en que nadie se bañaba.

Aunque eran un artículo exótico y muy poco utilizado, hacia 1700 se empezaron a fabricar en Europa enormes bañeras de **madera**, con espaldares y apoyabrazos acolchados.

Más tarde aparecieron las bañeras individuales y portátiles, fabricadas en **cobre** y a veces en **estaño**, que venían en diferentes formas y tamaños.

Recién fue en el siglo XIX cuando las bañeras empezaron a parecerse a las que se usan hoy. Estaban hechas de **metal fundido** o **porcelana** sólida, con patas que terminaban en forma de garras.

Sabías que...

Cuando la reina Victoria subió al trono de Inglaterra en 1837 no había ni una sola bañera en el palacio de Buckingham.

Duchas para todos los gustos

La ducha la patentó un tal William Feetham recién en el año 1767 y, en un principio, se la usaba para tratar ciertas **enfermedades**. La administración de este "remedio" se hacía en un consultorio: el paciente pasaba a la sala de baño, y el médico tiraba de una cadena que dejaba caer agua fría sobre el enfermo desde una altura de 3 metros. Dicen que la primera ducha era realmente escalofriante...

Más tarde empezaron a desarrollarse diseños **más sofisticados**. Uno de los primeros modelos fue la "ducha Regency", de 1810. Consistía en una especie de palangana con un desagüe y un tanque en la parte superior, conectado a un gran recipiente a través de una serie de tubos. El aparato, que se operaba manualmente, era práctico pero no muy higiénico: en lugar de utilizar agua fresca, reciclaba el agua que caía una y otra vez.

Pero seguían siendo una rareza: ni siquiera las había en las casas de los nobles. En general, se alquilaban y la mayoría de la gente, para no ensuciar, las usaba fuera de la casa. Para completar el cuadro, se vendía agua caliente a domicilio y en París empezaba a ponerse de moda el **baño a la carta**: de azahar, de miel, de esencia de rosas, de bálsamo de la meca, de leche, de vino... *¿Qué tipo de baño desea?*

Bañistas exóticas

Popea Sabina, la esposa del emperador romano Nerón, llenaba su bañera con leche de burra para mantener la blancura de su piel. La reina escocesa María Estuardo, en cambio, elegía bañarse en vino. Isabel de Baviera, por su parte, prefería el baño "natural" con jugo de frutas.

¡Increíble!

El inventor Benjamin Franklin tenía una bañera con forma de bota de la que, al sentarse en su interior, sobresalían la cabeza y los hombros. Dicen que Franklin estaba tan fascinado con su bañera que pasaba allí buena parte del día. De hecho, escribió en ella la mayoría de sus trabajos.

¡Que vivan las burbujas!

¿Y con qué se bañaban cuando se bañaban? Hace unos 4000 años, en Asia Menor, los hititas se lavaban las manos con una mezcla de agua y **cenizas** de la planta de saponaria. Los griegos, por su parte, usaban una mezcla de **aceite de oliva** y **arena** que se pasaban por el cuerpo con una especie de raspador. Los egipcios, en cambio, combinaban agua, **aceite** y **cera vegetal** o **animal**.

En América, los aztecas usaban la **raíz** de una planta llamada "Coplaxocotl" para bañarse y la raíz de "Metl" para lavar la ropa.

En realidad, ninguna de estas preparaciones era jabón tal cual lo conocemos hoy. Para encontrar los primeros jabones hay que remontarse 2600 años y buscar a los **fenicios**, los grandes comerciantes del mundo antiguo. Su secreto era hervir **grasa de cabra** junto con agua y **cenizas**. Cuando el líquido se evaporaba, se formaba algo muy parecido al jabón. Un jabón que los fenicios no usaban para bañarse sino para limpiar la lana y el algodón con los que hacían las telas que vendían a través de todo el mar Mediterráneo.

Más tarde, hacia el año 0, los habitantes de Pompeya (al sur de Italia) empezaron a hacer barritas de jabón comprimiendo aceite animal con cenizas de plantas y muchas **fragancias**.

Pasaron los años, los jabones eran cada vez más preciados, y la técnica para fabricarlos se convirtió en uno de los **secretos** mejor guardados del mundo.

Un poco porque era difícil conseguir las materias primas, otro poco porque era difícil fabricarlo y otro poco porque la gente dejó de bañarse, el jabón era carísimo. Hasta el año 1791, cuando se descubrió cómo fabricarlo usando materiales más baratos (sal marina con **ácido sulfúrico**) y mediante un método más sencillo. El precio cayó en picada y, ahora sí, estuvo al alcance de todos los bolsillos. Para promocionarlo, se moldeó en jabón el busto del rey de Francia con la leyenda "quita todas las manchas".

Champú

El champú nació en Inglaterra en 1877 y en sus comienzos no era un líquido embotellado sino un servicio de masaje jabonoso para el cabello que ofrecían los salones de belleza más elegantes. Aunque todos usaban jabón, agua y cristales de sosa (óxido de sodio), las proporciones de estos ingredientes variaban de salón en salón, y el secreto se guardaba celosamente.

Para usar champú en casa hubo que esperar a que John Breck, un bombero norteamericano completamente calvo, sacara a la venta en 1930 un "limpiador de cabello" cuya fórmula se hacía a base de detergente (y no de jabón).

Sabías que...

Los egipcios limpiaban sus cabellos con agua y limón, aunque muchos se rapaban y lucían pelucas de cabello natural a las que lavaban, teñían y perfumaban. Las mujeres chinas, en cambio, usaban extractos de cedro y los indios de América del Norte utilizaban una sustancia que se obtenía al machacar y hervir las raíces de ciertos árboles.

LÍNEA DE TIEMPO

-3000 Cepillo egipcio

-2000 Pasta de dientes egipcia

-1000

Dientes limpios y blanquitos

Míralo con atención. Ese **palito con hilos** de nailon, tan simple pero tan útil, con el que te limpias los dientes todos los días, es uno de los más grandes inventos de la humanidad. Y además, es muy antiguo: se lo encontró en algunas tumbas egipcias que tienen más de 5000 años. Eso sí: no era como el que usas tú ahora, sino una simple ramita con la punta afilada que se frotaba contra los dientes.

El primer cepillo de dientes que realmente era un cepillo se fabricó en China en 1498. No era más que un manojo de **pelos de jabalí** siberiano insertos en una manija de hueso o de bambú. Poco después, la poca gente que en Europa se lavaba los dientes también lo hacía con cepillo, pero con uno de cerdas más suaves: de **pelo de caballo** o de **tejón**.

Aunque no parezca algo caro ni complejo de fabricar, el cepillo de dientes fue un artículo de lujo hasta bien entrado el siglo XX. Con la llegada del plástico, las cerdas hechas con pelos de animal –de las que para entonces ya se sabía que podían causar infecciones– fueron reemplazadas por cerdas de **nailon**, que eran más rígidas, más limpias y más resistentes. Y, además, ¡mucho más económicas! El precio del cepillo de dientes disminuyó muchísimo y nadie se privó de tener uno.

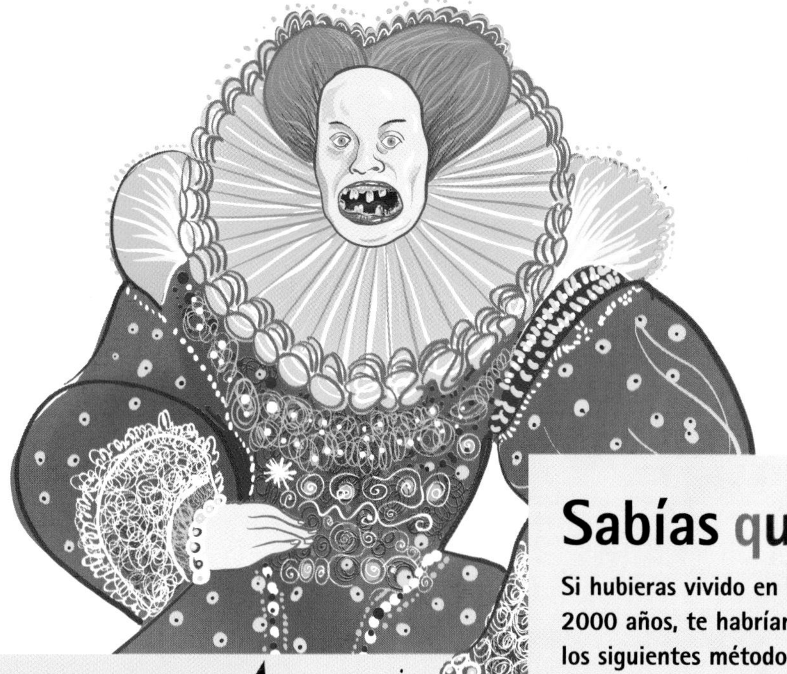

Sabías que...

Si hubieras vivido en la India hace 2000 años, te habrían recomendado los siguientes métodos para tener una sonrisa impecable:

- **Hacer buches con leche de cabra.**
- **Masticar las cenizas de cabezas de ratones y conejos asados.**
- **Lavar tus dientes con sangre de tortuga tres veces al año.**

¿Cuál habrías elegido?

¡Increíble!

La reina Isabel I de Inglaterra murió en 1603 habiéndose bañado una sola vez en su vida y sin haberse lavado jamás los dientes. Dicen que sufría tales dolores de muelas que llegó a pasar dos semanas sin poder dormir.

¿Y con qué los limpiamos?

Hace unos 4000 años, los egipcios se refrescaban la boca con una pasta hecha con **uñas de buey**, **cáscara de huevo quemada**, **piedra pómez**, **sal**, **pimienta** y **agua**. ¿Te resulta desagradable? No tanto, si la comparas con los primeros "dentífricos" romanos, que no eran otra cosa que ¡**orina**!

A principios del siglo XIX, las personas que se lavaban los dientes lo hacían con una solución en polvo que se mezclaba con agua. El polvo podía estar hecho a base de **tiza**, **ladrillo**, **carbón** o **sal** más el agregado de **glicerina** para darle sabor. En 1892, el doctor estadounidense Washington Sheffield, tuvo la brillante idea de preparar la pasta y colocarla en un tubo metálico plegable. ¡*Et voilà:* pasta de dientes o dentífrico!

¡Qué bien hueles!

Sabías que...

La palabra perfume proviene de las palabras latinas *per* y *fumus*, que combinadas significan "a través del humo".

Durante la Edad de Piedra, hace unos diez mil años, los hombres solían arrojar al fuego algunos de los animales que cazaban como ofrenda a sus dioses. Para enmascarar el olor a carne chamuscada, los rociaban antes con sustancias como **incienso**, **mirra**, **casia** o **nardo** que, al humear, despiden un aroma agradable. Es decir que, en un principio, el perfume se usó para tapar los malos olores y su función fue exclusivamente religiosa.

Las cosas siguieron así por varios miles de años hasta que el perfume adquirió el uso que tiene hoy.

Los pueblos de Oriente fueron especialistas en el tema: los sumerios y los egipcios literalmente se bañaban en aceites y alcoholes de **jazmín**, **lirio**, **jacinto** y **madreselva** y emprendían largas travesías hacia el Reino de Pount (en la actual Somalía, África), conocido como "el Reino de todos los aromas", en busca de nuevas fragancias. Y no era para menos: las mujeres usaban un aroma diferente para cada parte del cuerpo. Cleopatra, por ejemplo, se untaba las manos con *Kyaphi*

-50 Cleopatra
-31 Imperio Romano
476 Caída Imperio Romano
Siglo XI Cruzadas
1709 Agua de Colonia
1922 Se abre la tumba de Tutankamón

¡Increíble!

Cuando se abrió la tumba del faraón Tutankamón, además de la momia y de toneladas de oro, se encontraron más de 3000 vasijas con fragancias que aún hoy conservan su aroma original.

Eau de cologne

La famosa "agua de colonia" la inventó en 1709 un barbero italiano que llegó a la ciudad de Colonia, Alemania, en busca de fortuna. Se trataba de una mezcla de cítricos (limón, naranja y bergamota) y de alcohol. Fue un éxito rotundo y se hizo famosísima.

–un aceite de **rosas**, **azafrán** y **violetas**– y se perfumaba los pies con *Aejiptium* –una loción de aceite de **almendras**, **miel**, **canela**, flor de **azahar** y **alheña**–. Los egipcios incluso creían que el perfume ahuyentaba las enfermedades y por eso solían colgarse del cuello pequeñas vasijas de barro con sustancias aromáticas.

Los griegos no se quedaron atrás: usaban un aroma para el pelo, otro para la piel, otro para la ropa y otros para perfumar el vino y los muebles. Los perfumistas romanos, por su parte, formaban un gremio muy poderoso en la Antigua Roma y sus tiendas ocupaban toda una calle en la zona comercial de la ciudad. Hasta dicen que los soldados no podían participar de una batalla sin haberse bañado antes en perfume... ¡Qué detalle!

Con la caída del Imperio, los perfumes prácticamente desaparecieron, aunque siguieron fabricándose en Oriente. Hasta que, en el siglo XI, muchas fragancias volvieron a Europa con las Cruzadas y se reavivó el interés por los perfumes y su industria.

Otros olores para disimular...

Como podrás imaginar, la historia del baño cuenta con más años **sin inodoros** que **con inodoros**. Cuando éstos no existían, las personas simplemente hacían sus necesidades en lugares muy variados: detrás de un árbol, en medio del campo, en un arroyo...

A la hora de elegir dónde responder a los llamados de la naturaleza, los griegos no tenían inconvenientes en hacerlo **en público**. Era habitual que, en medio de un banquete, algún noble ordenara a su esclavo que le acercara una vasija de plata, que el amo usaba a la vista de todos... Luego el esclavo se iba con el regalito y todos seguían bailando, comiendo y bebiendo, como si nada.

Además de los baños, los antiguos romanos construyeron **letrinas públicas** en las que hacían sus necesidades todos juntos y al mismo tiempo. No eran más que una línea de bancos con perforaciones y sin separaciones de ningún tipo, debajo de los cuales pasaba una corriente de agua que se llevaba los desechos. Lo curioso es que, al igual que en los baños públicos, en las letrinas romanas se desarrollaba una intensa vida social.

Fueron también los romanos quienes inventaron la "metella" (**pelela**, orinal o bacinilla). Las primeras fueron de vidrio o de metal y después se hicieron en porcelana. Les pintaban flores y animales por dentro y por fuera, y algunas eran verdaderas obras de arte.

Sabías que...

En el siglo XVI algunas personas muy ricas poseían inodoros portátiles.
Eran una especie de caja con tapa que tenía una manija para transportarlo.

¡Increíble!

Algunos reyes tenían un asiento especial para hacer sus necesidades. Se llamaba "silla excretora" y era un verdadero trono con un agujero que desembocaba en el jardín. Los reyes las usaban sin esconderse: Luis XIV acostumbraba a recibir a sus ministros sentado en su silla excretora.

Ubícate

La isla de Creta no sólo tiene la bañera más antigua que se conoce; también tiene el primer inodoro. Se trata de una gran taza con un asiento de madera y un agujero conectado a un canal de desagüe. Su diseño era muy primitivo y sólo se lo instalaba en los palacios reales, como el de Cnossos.

¡Qué pesadilla!

En Europa, durante la Edad Media y por muchos siglos más, era costumbre **arrojar por la ventana** el contenido de las bacinillas.
Se hacía a cualquier hora, preferentemente de noche, al grito de ¡agua va! Era un verdadero asco: el que no estaba atento cuando caminaba por la calle podía terminar olorosamente decorado.

Era tan habitual arrojar los desperdicios por ahí, que en el año 1589 la corte real inglesa tuvo que fijar una advertencia pública en palacio: "No se permite a nadie, quienquiera sea, antes de las comidas, durante las mismas o después de ellas, ya sea tarde o temprano, ensuciar las escaleras, los pasillos o los armarios con orina u otras porquerías."

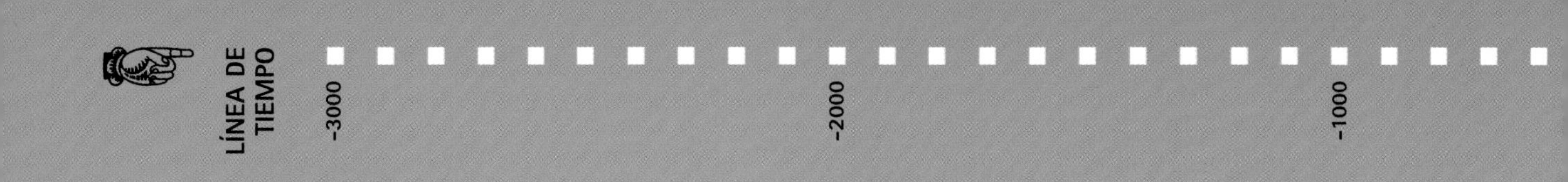

El trono del mundo

La reina Isabel I de Inglaterra fue famosa (entre otras cosas) por su sentido del olfato y por su odio frenético a los malos olores. En 1596, su ahijado **John Harrington** inventó para ella el primer "inodoro de válvula", al que bautizó *Ajax*. Consistía en un tanque elevado –que también podía servir de pecera, según la descripción de su diseñador–, un asiento, una taza con reserva de agua incorporada y una manija que activaba una trampilla que dejaba pasar el hediondo contenido hacia un pozo. Si bien la reina instaló uno en palacio, ella misma criticó el diseño y se quejó de los aromas que emanaban del pozo.

¡AAAJJ...!

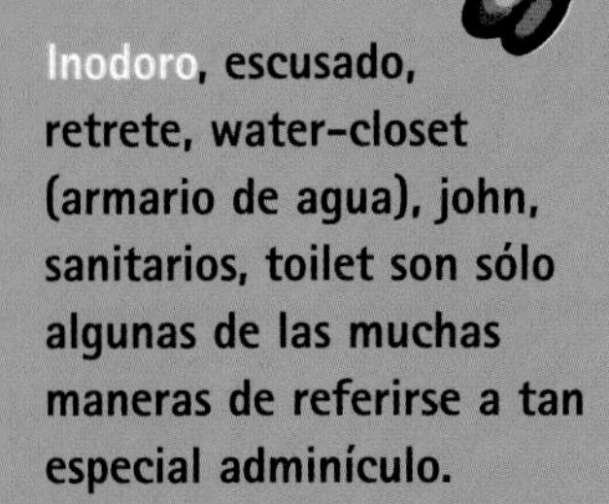

Inodoro, escusado, retrete, water-closet (armario de agua), john, sanitarios, toilet son sólo algunas de las muchas maneras de referirse a tan especial adminículo.

¡Increíble!

Japón y la India son los únicos países en el mundo que tienen museos dedicados exclusivamente al inodoro. El indio se llama "Museo Internacional Sulabh" y se encuentra en Nueva Delhi. El japonés conocido simplemente como "Museo del Inodoro" está en la ciudad de ¡Kagawa! ¿Dónde, si no?

Para solucionar el problema hubo que esperar unos 180 años, hasta que el matemático y relojero **Alexander Cumming** patentó un nuevo modelo. La clave estaba en que la taza se comunicaba con el pozo a través de un conducto que retenía "una cantidad de agua para atajar los olores procedentes de abajo", según informaba la patente de su inventor. Cumming bautizó al conducto en cuestión "trampa para el mal olor" y éste pasó a formar parte de todos los inodoros que se fabricaron desde entonces.

Pero el nombre más famoso en la historia del inodoro es el del fontanero inglés **Thomas Crapper** que, aunque no lo inventó (como muchos creen), le hizo varias mejoras que fueron registradas en 9 patentes distintas. En el inodoro de Crapper todas las partes funcionaban en perfecta armonía. Las mujeres estaban fascinadas con el nuevo dispositivo: era realmente silencioso y eliminaba eficientemente los malos olores.

A diferencia de Harrington y de Cumming, que fabricaron inodoros en una época en que casi nadie o muy pocos los utilizaban, Crapper se lanzó al negocio en el momento justo: unos diez años después de que el parlamento inglés aprobara una ley que obligaba a instalar un inodoro en todas las casas que se construyesen a partir de entonces.

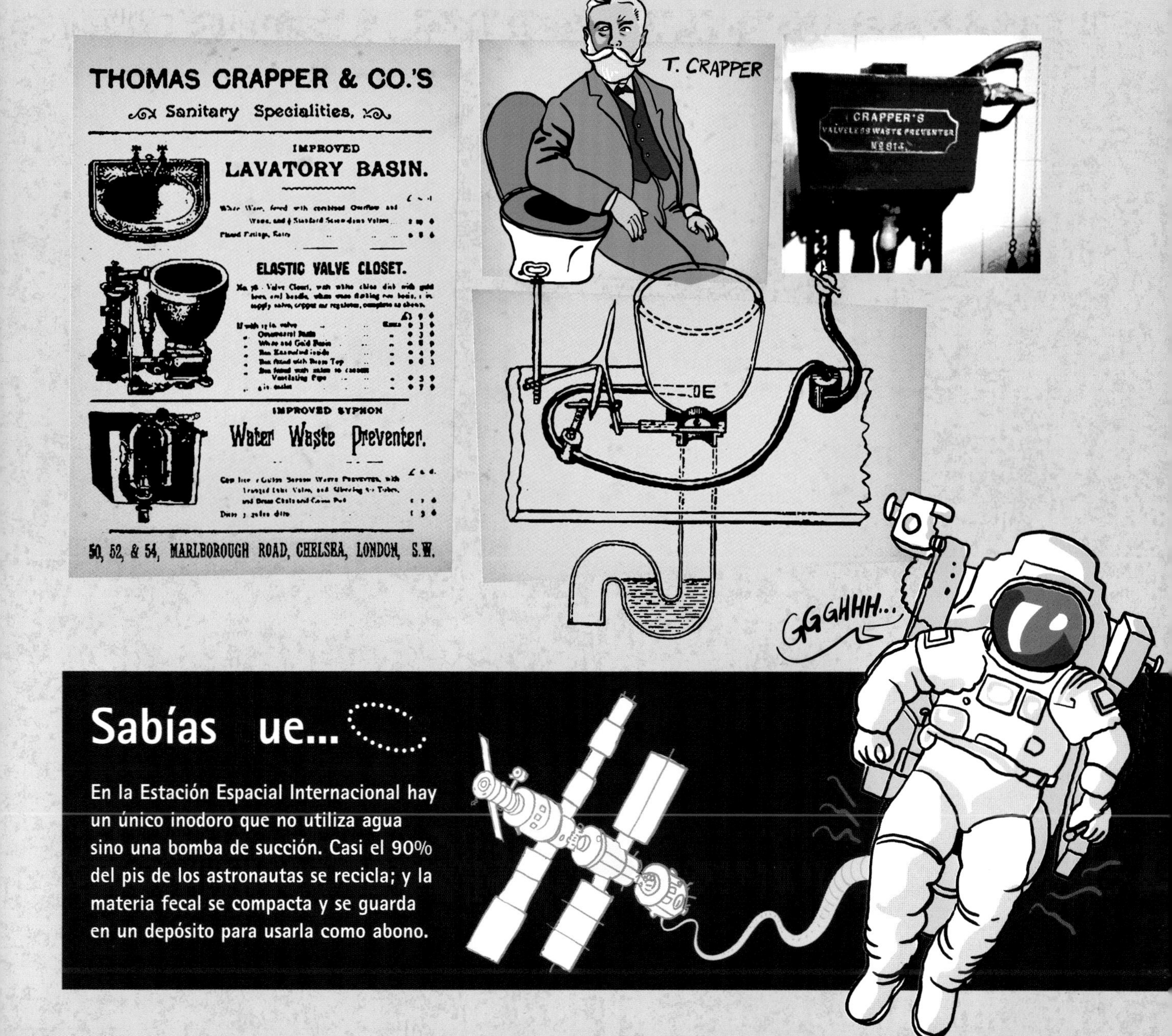

Sabías que...

En la Estación Espacial Internacional hay un único inodoro que no utiliza agua sino una bomba de succión. Casi el 90% del pis de los astronautas se recicla; y la materia fecal se compacta y se guarda en un depósito para usarla como abono.

Los guardianes del trono

El bidet

Curiosamente, este infaltable compañero del inodoro se inventó primero. Se cuenta que el bidet nació hace casi 1000 años, durante **las Cruzadas**. Era portátil, lo llamaban "bidoaille" y lo usaban los viajeros para lavarse durante sus largas travesías por Medio Oriente.

En realidad, se hizo realmente popular mucho después, a partir de 1710, en Francia. Como a la mayoría de los usuarios les daba vergüenza decir que lo utilizaban, se referían a él como **"el amigo íntimo"**, **"el confidente de las damas"** (porque eran ellas quienes más lo usaban) o **"el violín que no se menciona"** (debido a su forma tan peculiar).

¡Increíble!

Napoleón fue uno de los máximos admiradores del bidet. Tan fanático era, que hizo construir uno a su medida y lo mandó pintar de rojo. Cuando murió, dejó bien claro en su testamento quién lo heredaría: el rey de Roma, es decir, su hijo.

0

1000 Invención del bidet

Papel higiénico en China 1391

1500 Enrique VIII

1710 Generalización del uso del bidet

1857 Joseph Gayetti

2010

Sabías que...

En el año 1391, la Oficina de Suministros Imperiales de China encargó la producción de 720 mil hojas de papel para usar en el baño. Medían 60 x 90 cm, estaban decoradas con los principales personajes y acontecimientos de la historia china y eran para uso exclusivísimo de la corte imperial.

¡Increíble!

Entre los peores trabajos del mundo figura el de "servidor de la silla", que consistía en limpiarle el trasero al rey Enrique VIII de Inglaterra... ¡con la mano!

Ubícate

Sólo una tercera parte de la población mundial usa papel higiénico

El papel higiénico

¿Qué tienen en común las siguientes cosas? **Diarios**, **catálogos**, **heno**, **lana**, **paja**, **pasto**, **hojas de maíz**, **hojas de libros**, **cáscaras de coco**, **esponjas**, **nieve**... Algunas más, otras menos, eran las cosas de las que se valía la gente cuando no existía el papel higiénico.

La historia del papel higiénico se remonta a 1857, cuando el empresario neoyorquino Joseph Gayetti sacó a la venta lo que llamó, con todo orgullo, el "papel terapéutico Gayetti". Se trataba de hojas de papel suave, especial para el baño, impregnadas con un humectante. Cada paquete de 500 hojas costaba 50 centavos de dólar... ¡toda una fortuna para la época! Al principio, fue un fracaso total: a la gente le parecía ridículo gastar dinero en algo que podía sustituirse perfectamente por un montón de cosas que había por la casa.

¿Y qué hacemos con esto?

Hace unos 10 mil años, un escocés de las islas Oréadas tuvo la genial idea de juntar un montón de piedras para armar un conducto por donde conducir y finalmente arrojar los desechos al río más cercano. Sin proponérselo, inventó las **cloacas**, también conocidas como tuberías, desagües o alcantarillas.

Además de baños muy lujosos, los romanos construyeron de todo: estadios, edificios, caminos, acueductos y sí... también cloacas. Las cloacas romanas eran **subterráneas**, estaban hechas de plomo, barro cocido o piedra y, además de eliminar los desechos, drenaban el agua de lluvia para que no se inundaran las calles. La más famosa es la "Cloaca Máxima", construida en el año 578 a.C., en la que se arrojaban todos los desechos de Roma, para conducirlos hasta el río Tíber.

Como muchas otras cuestiones relacionadas con la higiene, al caer el Imperio Romano la gente dejó de preocuparse por lo que ocurría con sus desperdicios. La construcción de cloacas se detuvo casi por completo y las letrinas pasaron a desembocar en **pozos ciegos** en los que se acumulaban torres de excrementos y basura.

¡Increíble!

Alrededor de las cloacas se tejieron infinidad de leyendas urbanas. Una de las más conocidas cuenta que las alcantarillas de la ciudad de Nueva York están repletas de cocodrilos. ¡Qué imaginación!

Los años pasaban, las ciudades crecían y con ellas crecían también los desperdicios. Para mediados del siglo XVIII, las grandes ciudades, como Londres y París, tenían problemas gravísimos con la **acumulación de residuos y suciedad**.

La solución recién llegó en 1843, cuando en **Hamburgo**, Alemania, se construyeron las primeras alcantarillas subterráneas de la modernidad. Fue toda una revolución: las casas empezaron a construirse conectando los baños al sistema de alcantarillado que conducía los desperdicios hacia los ríos. Por otro lado, comenzaron a tratar estas "aguas residuales" con productos químicos para evitar que contaminaran los ríos.

Las ventajas fueron tan evidentes que a las alcantarillas de Hamburgo les siguieron las de Londres, París, Chicago y Brooklyn.

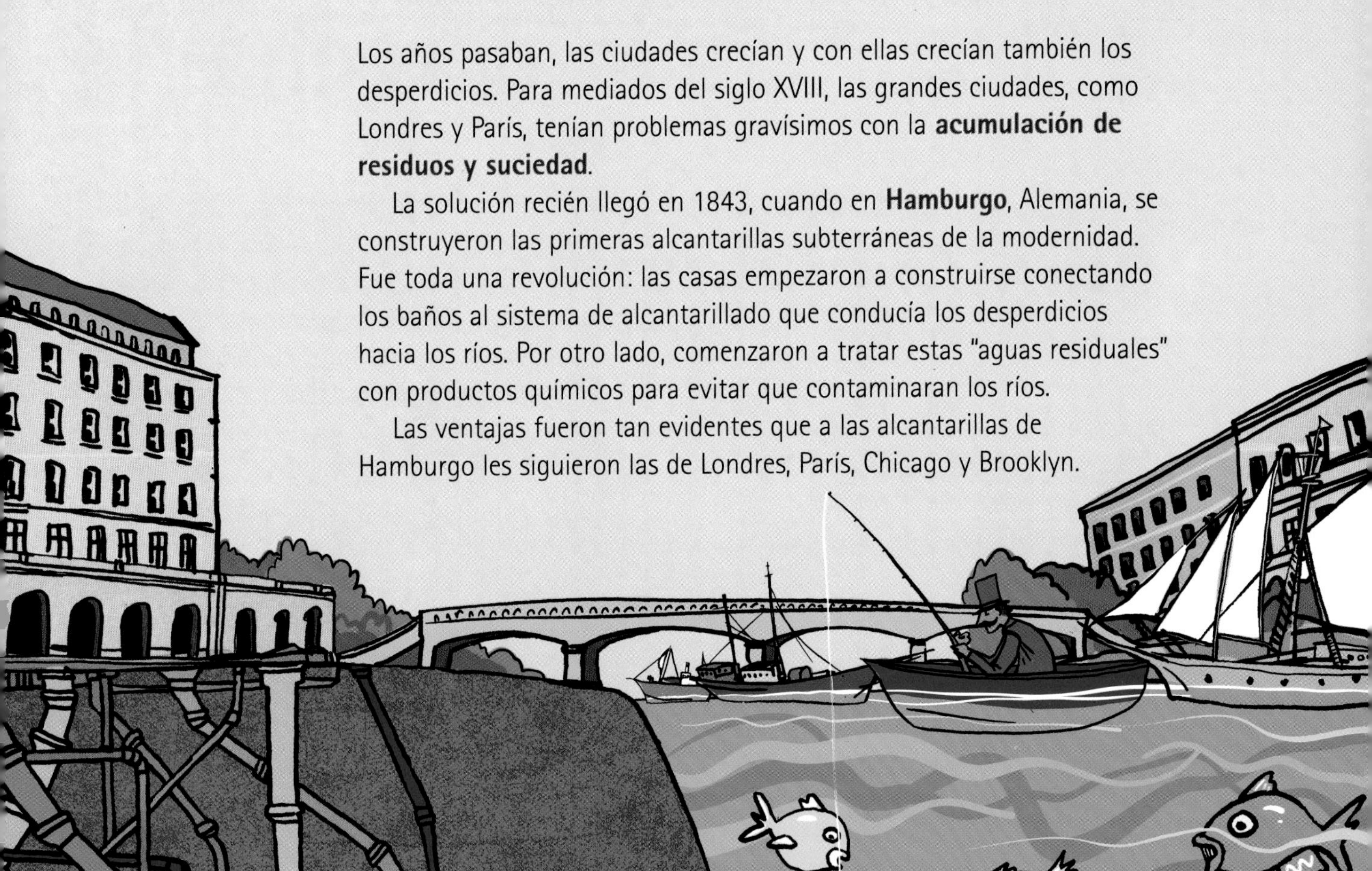

Ubícate

La red de alcantarillado más antigua que se conoce se encuentra en la región de Monhenjo Daro, en Pakistán, y fue construida hace... ¡4500 años!

Sabías que...

Las bañeras del palacio de Cnossos se vaciaban mediante tuberías de piedra con junturas cementadas, conectadas a un caño mayor que llevaba los desperdicios lejos del palacio real. Con el tiempo, estos conductos se sustituyeron por otros de cerámica esmaltada, que se unían entre sí de un modo muy parecido al que se usa actualmente.

Al fondo, a la derecha

La mayor parte de la historia del baño transcurrió sin un "cuarto de baño". Tanto el aseo personal como las necesidades fisiológicas se hacían en el sitio donde se dormía, en el sitio donde se comía... o en algún lugar fuera de la casa. En vez de lavatorios, se usaban **jarras** y **vasijas** que se llevaban de un lado a otro, según donde se necesitaran.

Durante los siglos XII y XIII, la gente comía con las manos y acostumbraba lavárselas antes y después de comer. En los grandes banquetes, una trompeta anunciaba la hora del lavado, que se hacía con agua y una toalla, pero sin jabón. Cuando las cañerías se multiplicaron aquí y allá, no sólo fue posible eliminar los desechos, sino que también se pudo contar con redes de agua corriente. Hacia la segunda mitad del siglo XIX, las casas comenzaron a construirse con un cuarto especial: **el baño**. Y con él aparecieron los primeros lavatorios de mármol y porcelana, que se instalaron junto con el inodoro. También el bidet pasó a ocupar un nuevo lugar: de estar pegadito a la cama y a la vista de todos, se ubicó justo al lado del inodoro. Pasaron algunos años y se sumaron las duchas y las bañeras. Y también llegó el agua caliente. El baño había adquirido su forma definitiva y, ahora sí, pasó a ser un lugar fundamental en todos los hogares.

¿Cuántos baños hay en tu casa?

La construcción del palacio de Versalles, en Francia, comenzó a mediados del siglo XVII. Aunque iba a albergar a la familia real, a un millar de nobles y a 4000 sirvientes, en un principio no se había proyectado hacer ni un solo baño.

El edificio del Pentágono, en Estados Unidos, tiene muchos más baños de lo necesario: se construyó en la década del '40, cuando regía una ley que exigía que hubiera baños para negros y baños para blancos.

El palacio de Istana Nurul Iman en el sultanato de Brunei tiene 257 baños. Es la construcción con más baños del mundo. Tiene además 1788 habitaciones, más de 2000 teléfonos y un comedor para 4000 invitados.

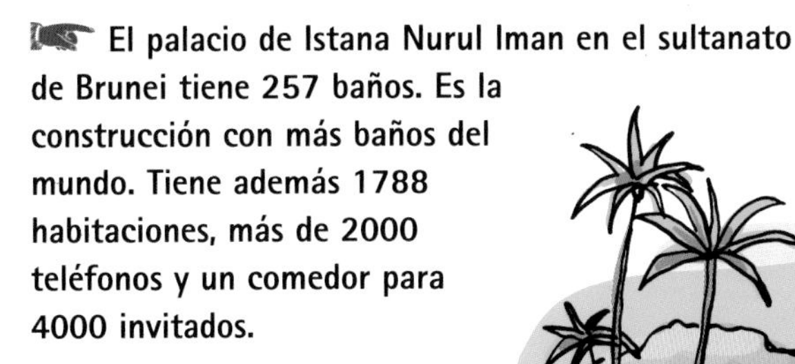

Ubícate

En el valle del Indo, en Pakistán, se encontraron viviendas con instalaciones sanitarias provistas de cañerías de barro cocido, con grifos para controlar el agua, que tienen 5000 años de antigüedad.

Sabías que...

Antes de que existiera el cuarto de baño, la cocina era el lugar preferido para ubicar las bañeras. Muchas familias de los Estados Unidos se bañaban los sábados por la noche, en estricto orden: los adultos, primero y los pequeños, al final. En este caso, bañarte último no era ninguna ventaja: para el momento en que les tocaba a los niños, el agua estaba totalmente sucia y fría...

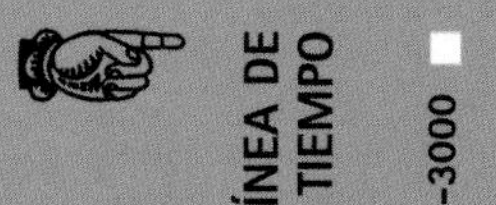

¿Y por qué es importante el baño?

¿Ya te hiciste una idea de lo que significaba vivir en una ciudad de Europa antes de que existieran las alcantarillas? Por las calles y plazas corrían riachuelos repletos de cosas desagradables y malolientes: **excrementos** humanos, **basura**, excrementos de los animales que vivían en las casas, excrementos de los animales que tiraban de los carros, **sangre** y **vísceras** de los animales que se mataban en plena vía pública... Para completar el cuadro, los servicios de limpieza prácticamente no existían o se limitaban a las vías principales. ¿Lo imaginas? ¡Una pesadilla! Y todo iba a parar a los mismos ríos de los que se sacaba el agua para tomar.

Más allá de lo desagradable que todo esto podía resultar a la vista y al olfato, lo más terrible era lo que todavía nadie sabía: ese cóctel de suciedad y desperdicios era el hábitat ideal de muchísimos **virus** y **bacterias**.

Estos microorganismos que vivían y se reproducían a sus anchas fueron los protagonistas de infinidad de epidemias que mataron a un enorme número de personas. Hacia 1352, por ejemplo, la peste negra ya había aniquilado a ¡25 millones!

Recién en los siglos XVIII y XIX, gracias a varios avances de la medicina y después de un alarmante brote de cólera que mató a millones de parisinos y londinenses, las autoridades de Francia e Inglaterra iniciaron una fuerte campaña para estimular la construcción de baños en los hogares, en los lugares de trabajo y en las calles y parques públicos.

Para la segunda mitad del siglo XIX, el baño empezaba a tener la importancia que tiene hoy. Poco a poco, se prohibió tirar los excrementos por la ventana y se les aconsejó a los habitantes de las ciudades que dejasen la basura en los espacios asignados para tal fin. Y a medida que se descubrían nuevas bacterias y se determinaba su papel clave en las infecciones —peste, cólera, tifus, fiebre amarilla—, también se supo que era posible protegerse de ellas con medidas tan simples como **lavarse todos los días** con agua y jabón.

¡Una verdadera revolución higiénica!

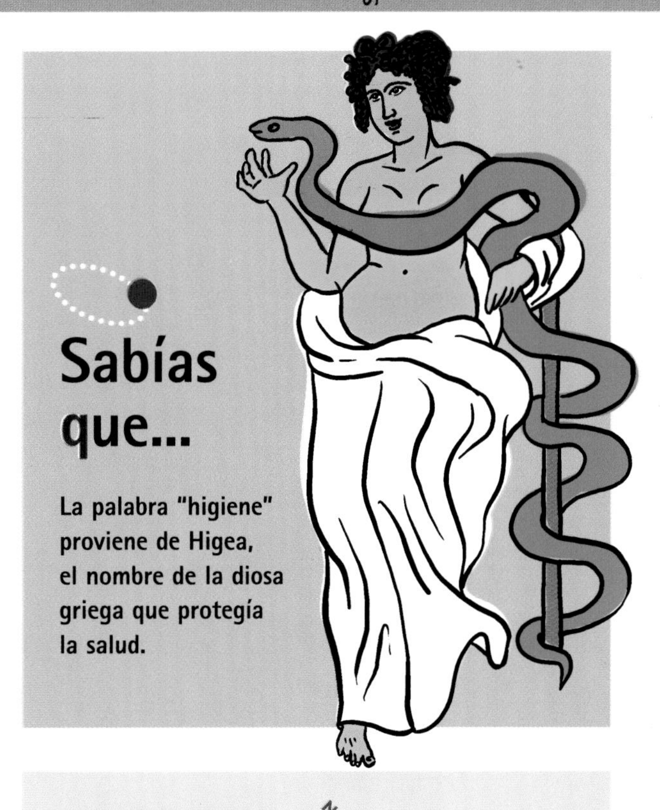

Sabías que...

La palabra "higiene" proviene de Higea, el nombre de la diosa griega que protegía la salud.

Ubícate

Para principios del siglo XIX, gracias a que el precio del jabón cayó en picada, en Europa disminuyó notablemente la mortalidad infantil.

Los infaltables del baño

La toalla

Si hay algo que nunca faltaba en el tocador de una dama **romana** del siglo II, eso era la toalla. Un accesorio que, sorprendentemente, era muy parecido a las toallas actuales. Las mejores se hacían de **lino**, aunque también las había de **algodón**, y todas se teñían de **colores**. En Egipto también se las usaba, y las del faraón eran de color rojo intenso o azul añil.

Pero la toalla es todavía más antigua: tiene más de 2000 años y empezó siendo un simple trozo de lienzo que se usaba para secarse las manos. Su nombre proviene de la palabra bárbara *tualia*, y también se usaba como **mantel** o **servilleta**, una costumbre que se mantuvo incluso durante la Edad Media. Era un objeto muy apreciado: entre los regalos que recibía una doncella cuando se iba a casar, la toalla era uno de los más valiosos.

El peine

Los primeros peines que se conocen se encontraron en unas tumbas **egipcias** de 6000 años de antigüedad. Algunos tenían una única hilera de dientes y otros, dos. Pero los egipcios no fueron los únicos que se preocuparon por tener ordenado su cabello: muchas culturas antiguas tuvieron su propio peine y cada una lo "inventó" por su lado.

Los primeros peines eran de **madera**, de **hueso** o de **marfil**. Después se los hizo de cobre, bronce, plomo o hierro y hasta los hubo de plata y de oro. Eran más altos que anchos, parecidos a las peinetas o peinetones, con una base en forma de medialuna.

Los peines **romanos** solían estar bellamente adornados, con motivos de palomas, peces, barcos y ramitas de olivo y, a veces, llevaban grabado el nombre de su dueño o alguna frase. Los romanos le daban tanta importancia al peine, que su precio estaba regulado por el Estado. Una cabeza despeinada era signo de miseria o de duelo.

El espejo

Los primeros espejos eran de **metal pulido** y los usaban las mujeres y los sacerdotes. Eran portátiles, tenían los mangos esculpidos en forma de animales, flores o figuras humanas y hacían furor en Egipto hace unos 4000 años. En sus comienzos, los espejos se relacionaron también con la **magia** y se los consultaba para conocer el futuro (algo que derivó luego en la bola de cristal).

A partir del siglo XIV, en Venecia, los espejos comenzaron a fabricarse en **cristal**. Eso sí, eran carísimos y muy pocos podían darse el lujo de tener uno. O más de uno: Luis XIV, el Rey Sol, llegó a tener más de 500, todos de gran valor e incalculable belleza.

Hubo que esperar hasta fines del siglo XVII, cuando los franceses encontraron la manera de fabricar cristal en grandes planchas, para que los espejos se abarataran muchísimo y, ahora sí, estuvieran al alcance de todos los bolsillos.

Sabías que...

La reina Isabel I de Inglaterra evitaba mirarse en los espejos para no enfrentarse día a día con los estragos que el tiempo hacía en su rostro. Su frase predilecta era: "Los espejos siempre dicen la verdad."

¡Increíble!

En muchos lugares de la Europa del siglo XVII se creía que el pelo gris podía recobrar su color original gracias a sucesivas pasadas con un peine de plomo.

¡Qué curioso!

El emperador romano Heliogábalo no se privó de nada a la hora de hacer "lo segundo": se sentaba en una vasija de oro puro adornada con flores frescas de su jardín.

En el mundo antiguo, se pensaba que algunos baños podían curar ciertas enfermedades: baños de tierra para combatir la tuberculosis, baños de hojas de abedul contra el reumatismo y baños de saúco para el dolor de huesos.

El emperador romano Vespasiano aplicó un impuesto al uso de las letrinas. Todas las tardes, un recaudador medía con una vara la altura de la montaña de excrementos y, cuanto más alta era ésta, más debía pagar el dueño de la letrina. Cuando Tito, el hijo de Vespasiano, criticó el origen de ese dinero diciendo que apestaba, el Emperador tomó una moneda de oro, se la hizo oler a Tito y le dijo: "*Pecunia non olet*" (el dinero no huele).

A principios del siglo XX el blanco era el color preferido para los baños, porque lucía "limpio". El cuarto de baño debía ser una especie de "hospital en casa".

El filósofo holandés Erasmo de Rotterdam escribió: "Es descortés saludar a alguien que está orinando o defecando; y si alguien lo sorprende soltando ventosidades, disimule con una tos el estruendo explosivo".

Los japoneses son tan fanáticos de los inodoros que tienen el más sofisticado del mundo. El "Washlet Zoe" habla, toca música, funciona a control remoto, tiene una tabla que se levanta y se baja sola, trae diez efectos sonoros para cubrir ruidos embarazosos y lava, enjuaga y seca las partes del usuario en forma automática.

En Francia se otorgan los "Bidets de oro" a las peores películas del año. Son algo así como los "anti-Oscars" del cine.

El azul es el color preferido en todo el mundo para los cepillos de dientes.

La palabra "champú" proviene de la voz hindi *shampo*, que significa masajear o restregar.

Para limpiar sus dientes, las romanas adineradas gastaban fortunas en orina de Portugal, considerada la más potente.

En los tiempos del ¡agua va!, era realmente peligroso caminar bajo las ventanas altas de las casas. Esto, sumado a los riachos de suciedad que corrían por las calles, pudo haber originado la costumbre de que los caballeros caminen del lado de la calle y les cedan a las damas el lado de la pared, más "protegido".

En Francia, hace unos 300 años, las mujeres cubrían con pelucas su cabello sucio y descuidado. Uno de los peinados más populares era el rizado, que se lograba enrollando el cabello húmedo de la peluca, para después secarlo en un horno de panadería.

Tomar una ducha o un "baño de lluvia", como también se lo llamaba, fue, hasta principios del siglo XX, una actividad sólo para hombres.

El baño en números

600 millones de los 900 millones de personas que viven en la India hacen sus necesidades al aire libre y sólo una de cada tres viviendas cuenta con un sistema para evacuar los desechos. El problema sanitario es tan grande, que todos los días 400 000 hombres y mujeres conocidos como "Banghis" (o limpiadores de excrementos) transportan los desechos en grandes canastos de metal hacia ríos y lagunas.

4 millones de sextercios (unos 160 mil dólares actuales) gastó en agua de rosas, aceites de rosas y pétalos de rosas el emperador romano Nerón, para usar en una sola fiesta.

679 500 kilogramos de cerdas de jabalí importó Estados Unidos un año antes de la aparición de las cerdas de nailon. ¡Qué poca visión de futuro!

1961 es el año en el que se inventó el cepillo de dientes eléctrico.

20 805 hojas de papel higiénico usa cada año, en promedio, un norteamericano. Algo así como 57 por día.

20 litros de agua se consumen durante una ducha de cinco minutos y 140 litros en un baño de inmersión.

10 millones de dólares cuesta el inodoro más caro del mundo. Está en Hong Kong, lo construyó un joyero llamado Lam Sai-Wing y es de oro macizo decorado con ámbar, esmeraldas, zafiros y rubíes.

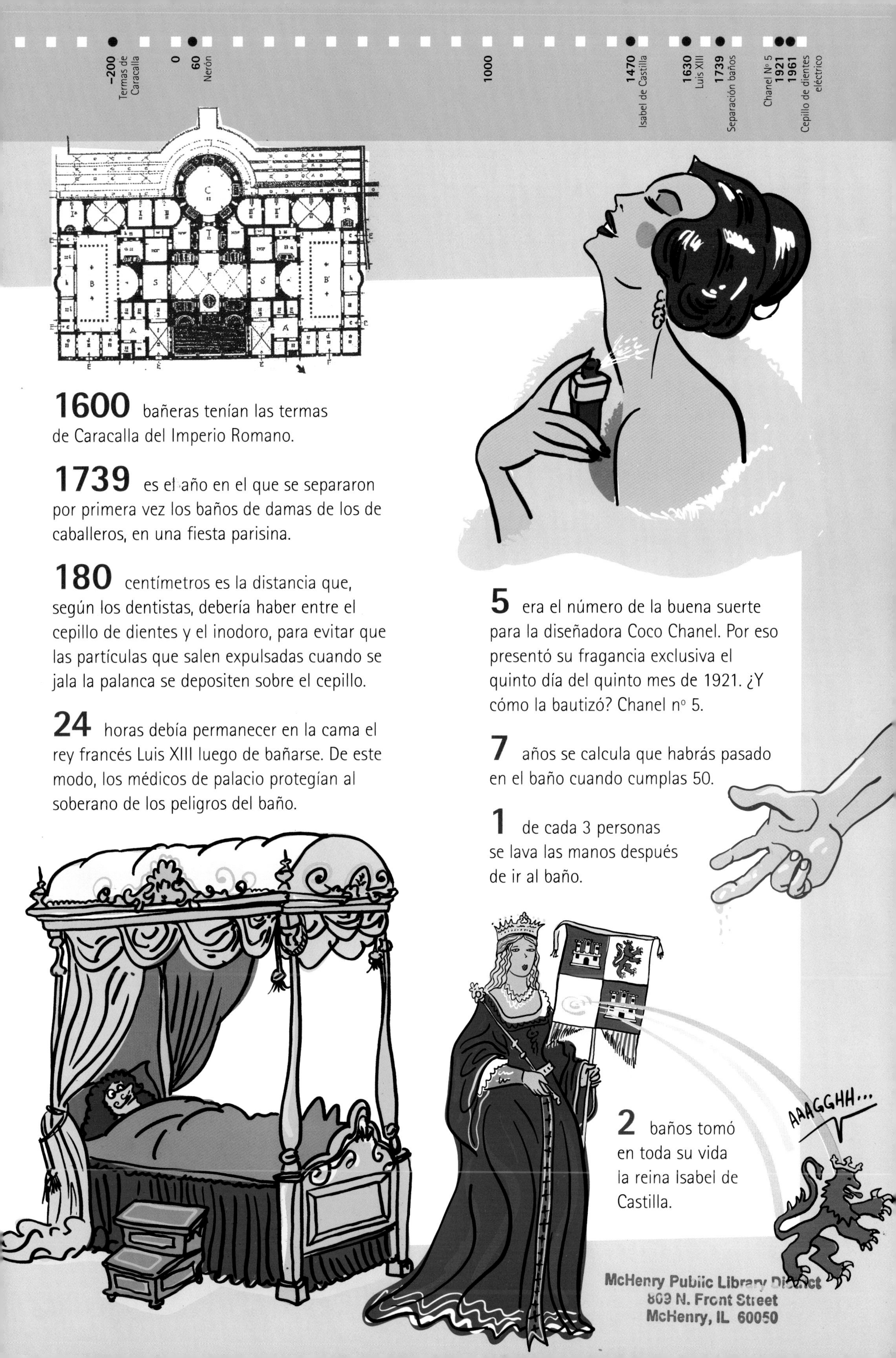

1600 bañeras tenían las termas de Caracalla del Imperio Romano.

1739 es el año en el que se separaron por primera vez los baños de damas de los de caballeros, en una fiesta parisina.

180 centímetros es la distancia que, según los dentistas, debería haber entre el cepillo de dientes y el inodoro, para evitar que las partículas que salen expulsadas cuando se jala la palanca se depositen sobre el cepillo.

24 horas debía permanecer en la cama el rey francés Luis XIII luego de bañarse. De este modo, los médicos de palacio protegían al soberano de los peligros del baño.

5 era el número de la buena suerte para la diseñadora Coco Chanel. Por eso presentó su fragancia exclusiva el quinto día del quinto mes de 1921. ¿Y cómo la bautizó? Chanel nº 5.

7 años se calcula que habrás pasado en el baño cuando cumplas 50.

1 de cada 3 personas se lava las manos después de ir al baño.

2 baños tomó en toda su vida la reina Isabel de Castilla.

3 **Palacio del rey Minos**

6 **Te entretienes tomando un masaje en un balneario romano.** Pierdes un turno.

9 **Vendes muchos baños de azahar a domicilio.** Vuelves a tirar.

12 **Pierdes mucho tiempo buscando una bañera en el palacio de Buckingham.** Regresas al palacio del rey Minos.

15 **Los fenicios te venden la fórmula secreta para hacer jabón.** Avanzas 4 casillas.

18 **Emprendes un largo viaje hacia el Reino de todos los aromas.** Pierdes un turno.

21 **Te toca lavarte los dientes con orina.** Por la valentía demostrada, vuelves a tirar los dados.

24 Museo del inodoro de Kagawa

28 **Te lanzan el contenido de una bacinilla.** Pierdes un turno limpiándote.

30 **Encuentras los perfumes de la tumba de Tutankamón.** Avanzas 3 casillas.

34 **Te toca ser el servidor de la silla de Enrique VIII.** Te tomas 2 turnos para recomponerte.

39 **Te toca limpiar los 257 baños del palacio de Istana Nurul Iman.** Retrocedes al museo del inodoro.

42 **Descubres unas alcantarillas más antiguas que las de Monhenjo-Daro.** Por el hallazgo, avanzas a la casilla 48.

46 **Le robas a Thomas Crapper las patentes de los inodoros.** Permaneces 2 turnos encarcelado.

¿Quieres saber un poco más?

Libros para leer

- *Historia de las cosas*, Pancracio Celdrán. Ediciones del Prado, 1995.
- *Cronología de los descubrimientos*, Isaac Asimov. Ed. Ariel, 1990.
- *Pequeña historia del perfume*, Mandy Aftel. Ed. Paidós, 2002.
- *La vida cotidiana: historia de la cultura material*, Norman Pounds. Ed. Crítica,1999.
- *Breve historia de la medicina*, Desiderio Papp. Ed. Claridad,1994.
- *Historias curiosas de la medicina*, José Ignacio de Arana. Ed. Espasa Calpe, 1994.

Páginas para visitar

- http://news.bbc.co.uk/hi/spanish/specials/newsid_3497000/3497663.stm
- http://www.tinet.org/~vne/C_bano_01.htm
- http://www.hygiene-educ.com/sp/profs/histoire/sci_data/temps.htm
- http://www.portalplanetasedna.com.ar/que_sucios00.htm

Los autores

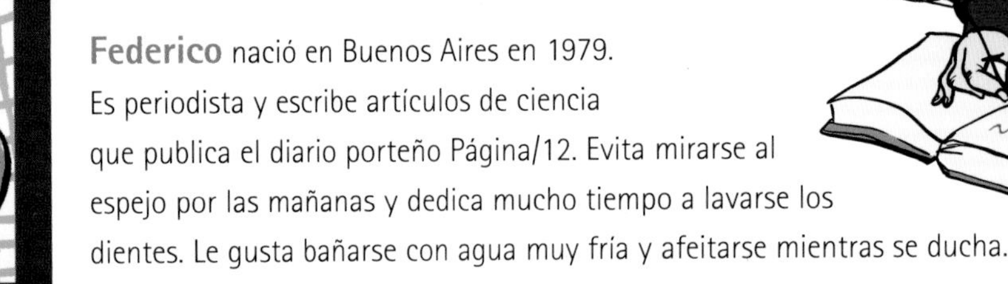

Federico nació en Buenos Aires en 1979. Es periodista y escribe artículos de ciencia que publica el diario porteño Página/12. Evita mirarse al espejo por las mañanas y dedica mucho tiempo a lavarse los dientes. Le gusta bañarse con agua muy fría y afeitarse mientras se ducha.

Ileana nació en Buenos Aires en 1972. Es bióloga, escribió muchos libros para niños y es una de las directoras de esta colección. Suele levantarse por las noches para ir al baño (muy a su pesar), tiene un cepillo de dientes eléctrico que nunca estrenó y le gustan los perfumes con aroma a frutas.

Javier nació en Buenos Aires en 1969. Es diseñador gráfico, ilustró muchos libros para niños y enseña historia del arte en la universidad. Le encanta leer en la bañera con el agua muy caliente, aunque algunas veces se queda dormido y el agua le estropea los libros. No habría podido vivir en una ciudad sin alcantarillas... ¡porque les tiene fobia a las ratas!

Este libro, ideal para llevar al baño en
cada visita, se imprimió y encuadernó
en marzo de 2007 en Grancharoff
Impresores, edificio que cuenta con agua
potable, está conectado a la red cloacal
y se encuentra en Tapalqué 5868,
Ciudad de Buenos Aires, Argentina.
impresores@grancharoff.com